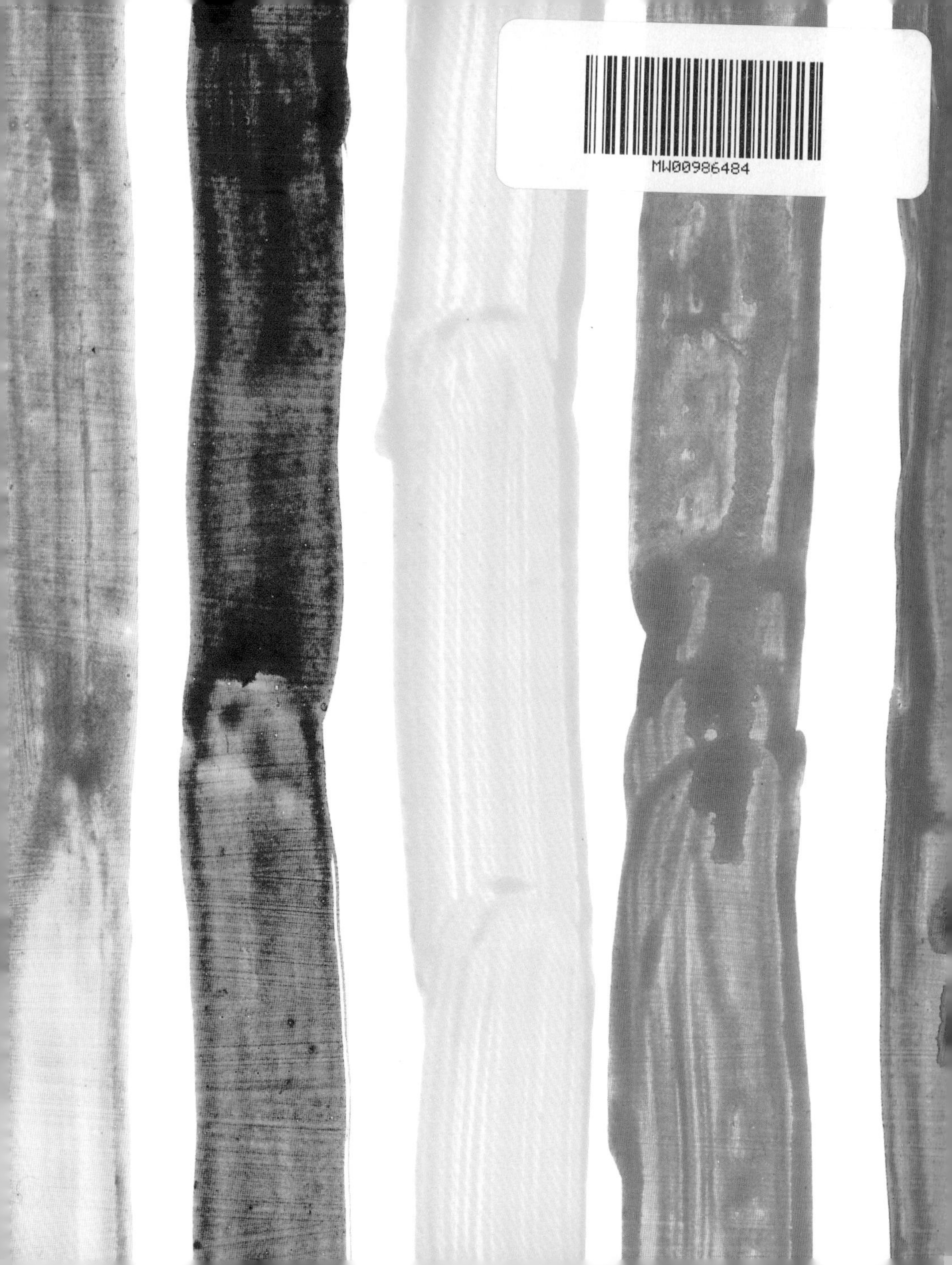

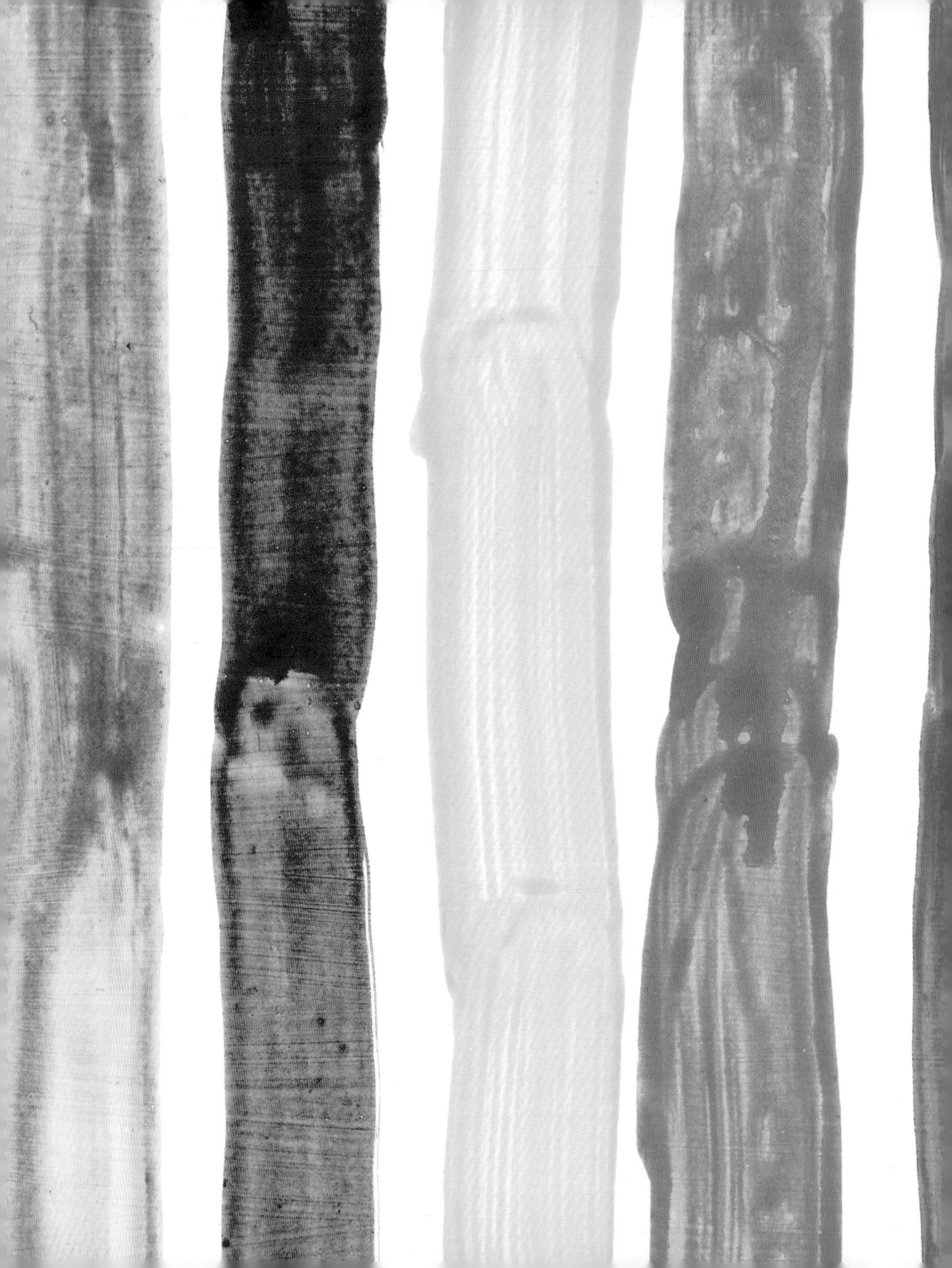

De nombreux animaux sont en voie d'extinction.
Cela veut dire qu'ils risquent de disparaître définitivement.
Pour éviter cela, des zones protégées et des parcs naturels
ont été créés, où ils peuvent trouver refuge, se nourrir
et se reproduire.

Voici dix animaux qui comptent parmi les espèces
les plus menacées dans le monde. Parler d'eux autour de soi,
et dire la nécessité de les protéger, c'est déjà les aider un peu.

Texte français de Laurence Bourguignon

16-18, rue de l'Ouvrage
B-5000 Namur

Titre original : Panda Bear, Panda Bear, what do you see ?

ISBN 978-2-87142-602-8
D/2007/3712/24

Imprimé en Belgique

Bill Martin Jr
Eric Carle

Panda, dis-moi...

Mijade

Panda, panda,
dis-moi ce que tu vois?

Je vois un aigle chauve
qui prend son essor.

Aigle chauve, aigle chauve,
dis-moi ce que tu vois?

Je vois un buffle d'eau
qui charge au galop.

Buffle d'eau, buffle d'eau,
dis-moi ce que tu vois?

Je vois un singe-araignée
qui se balance dans les branches.

Singe-araignée,
singe-araignée,
dis-moi ce que tu vois?

Je vois une tortue de mer
qui nage dans l'eau claire.

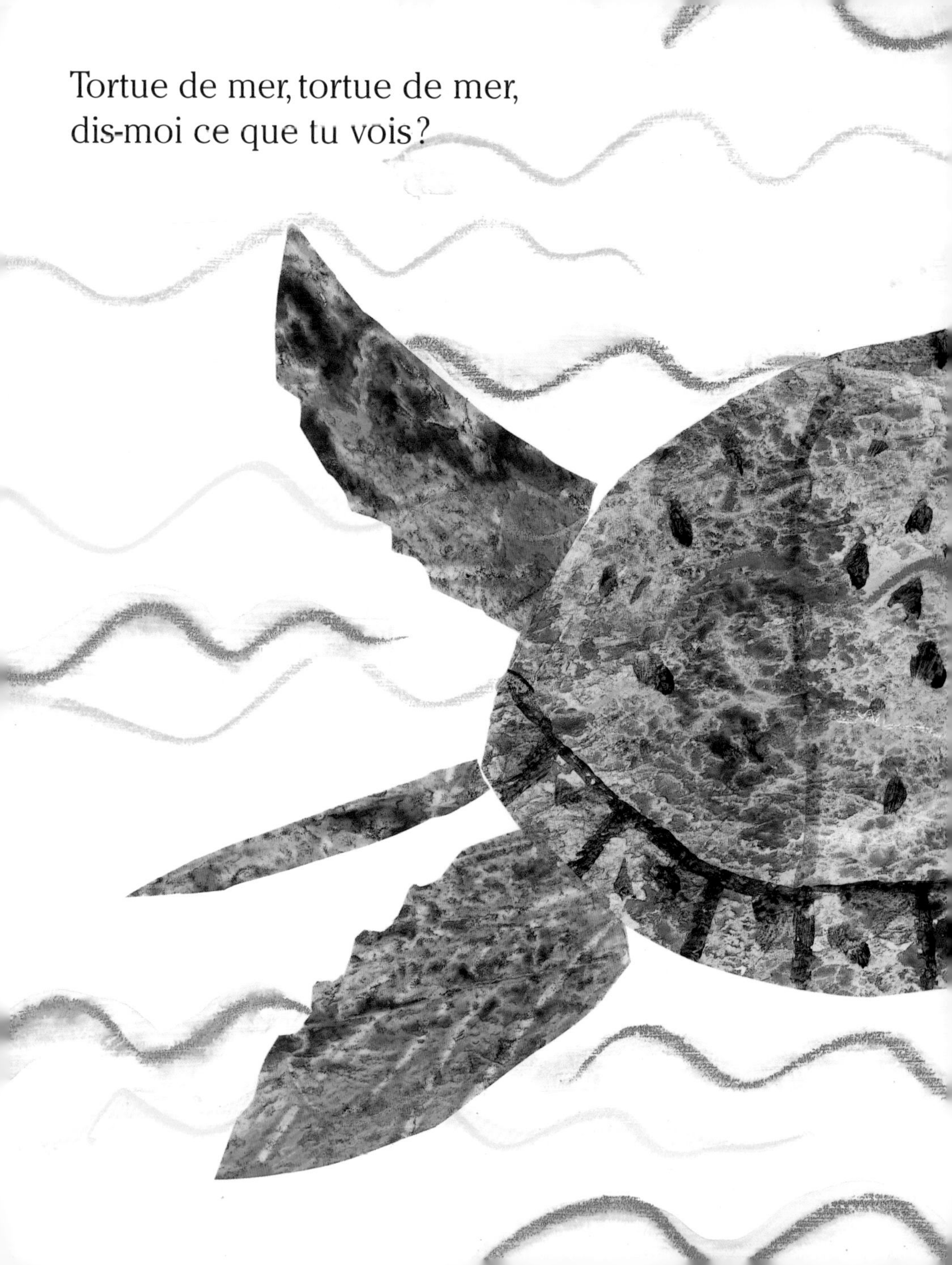

Tortue de mer, tortue de mer,
dis-moi ce que tu vois?

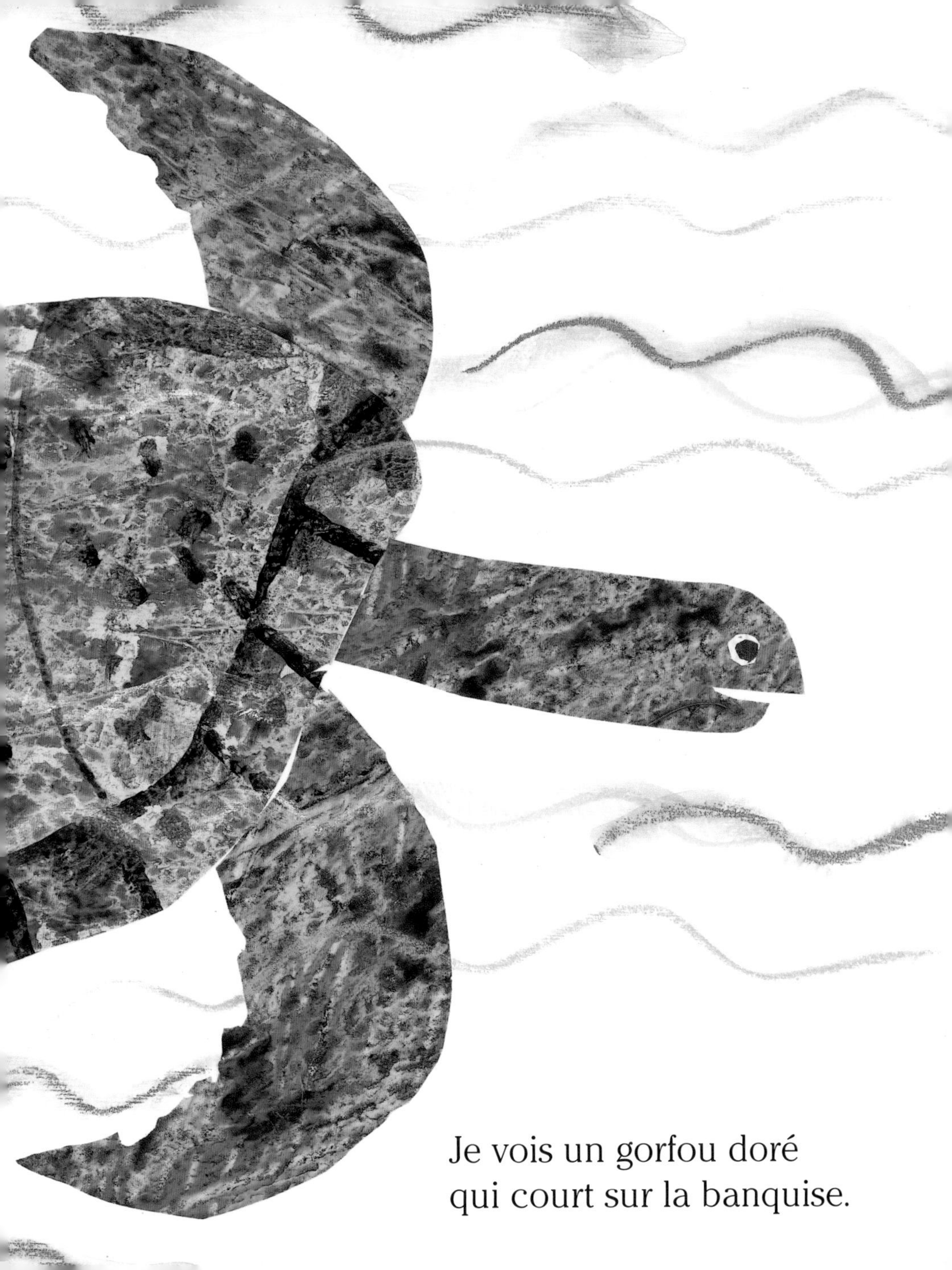

Je vois un gorfou doré
qui court sur la banquise.

Gorfou doré, gorfou doré,
dis-moi ce que tu vois?

Je vois un lion de mer
qui plonge sous la surface.

Lion de mer, lion de mer,
dis-moi ce que tu vois ?

Je vois un loup rouge
qui poursuit sa proie.

Loup rouge, loup rouge,
dis-moi ce que tu vois ?

Je vois une grue blanche
qui traverse le ciel.

Grue blanche, grue blanche,
dis-moi ce que tu vois ?

Je vois une panthère noire
qui s'éloigne dans la brousse.

Panthère noire, panthère noire,
dis-moi ce que tu vois ?

Je vois un petit rêveur
qui veille sur moi.

Petit rêveur, petit rêveur,
dis-moi ce que tu vois?

Je vois

un panda,

un singe-araignée,

une tortue de mer,

un loup rouge,

une grue blanche,

un aigle chauve,

un buffle d'eau,

un gorfou doré,

un lion de mer,

une panthère noire…

…tous libres
et heureux!
Voilà ce que je vois!

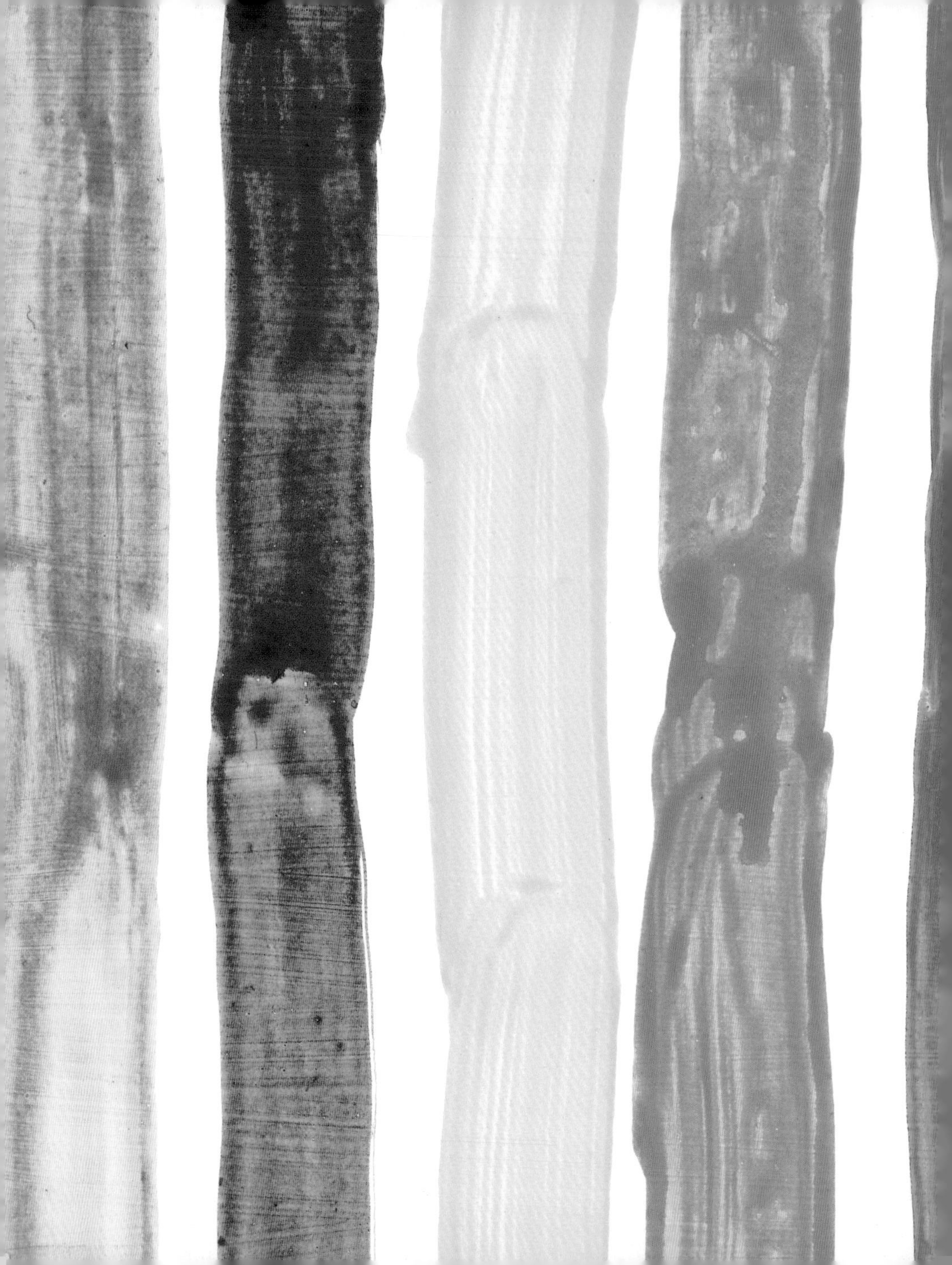